Help gyda
Gwaith Cartref

Gwyddoniaeth Gynnar

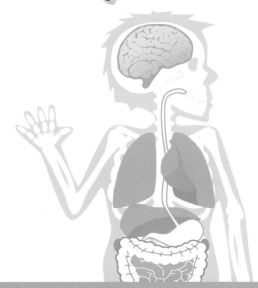

Awdur: Nina Filipek
Dylunio a lluniau: Jeannette O'Toole
Dylunio Clawr: Dan Green
Addasiad Cymraeg: Efa Mared Edwards a Glyn Saunders Jones
Golygu gan Eirian Jones
Dylunio gan Owain Hammonds

@ebol

Ydy e'n beth byw?
Is it a living thing?

Mae dol a phlentyn yn wahanol iawn – mae'r plentyn yn beth byw ond dydy'r ddol ddim yn fyw.

A doll and a child are very different – the child is a living thing but the doll is not.

Lluniwch linellau o'r disgrifiadau i'r lluniau.
Gallwch lunio mwy nag un llinell i rai pethau.

Draw lines from these descriptions to the pictures. You can draw more than one line to some things.

gallu symud ar ei ben ei hun
can move by itself

gallu tyfu
can grow

gallu defnyddio ei synhwyrau
can use its senses

gallu anadlu neu resbiradu
can breathe or respire

gallu bwyta bwyd
can eat food

plentyn
child

tegan
toy

planhigyn
plant

dol
doll

ci
dog

aderyn
bird

Pa rai sy'n bethau byw?
Which of these are living things?

Pa rai sydd ddim yn bethau byw?
Which of these are not living things?

Lliwiwch y pethau byw.
Colour the living things.

Gosodwch eich sticer seren yma

Place your star sticker here

Bysedd gwyrdd!
Green fingers!

Mae angen rhai pethau syml ar blanhigion byw er mwyn tyfu.

All living plants need some basic things in order to grow.

Lliwiwch y pethau sydd eu hangen ar blanhigion byw.

Colour in the things that living plants need.

dŵr
water

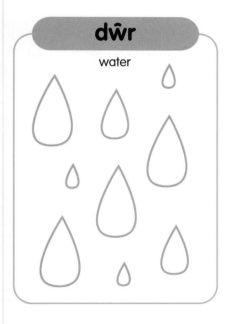

heulwen
sunlight

trydan
electricity

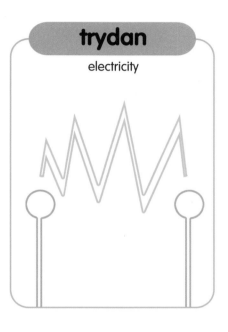

gwres
warmth

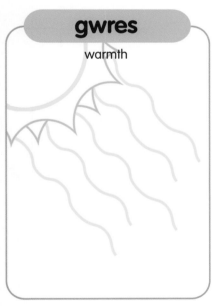

dillad
clothes

bwyd
food

Pa bethau sydd ddim eu hangen arnyn nhw?
Rhowch linell trwyddyn nhw.

Which things do they not need? Cross them out.

Gosodwch eich
sticer seren yma

Place your
star sticker here

Aros yn fyw
Staying alive

Chwiliwch am y sticeri a rhowch nhw yn y lleoedd cywir. Ticiwch **A** neu **B** bob tro.

Find the stickers and put them in place. Tick **A** or **B** each time.

1. Pa hadau fydd yn blaguro? Which seeds will germinate?

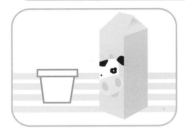

hadau
seeds

A

yn yr oergell
in the refrigerator

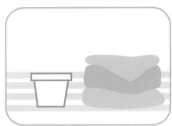

hadau
seeds

B

mewn lle cynnes
in a warm place

2. Pa egin fydd yn tyfu fwyaf cyflym? Which seedling will grow fastest?

egin
seedling

A

ar silff ffenest
heulog
on a sunny windowsill

egin
seedling

B

mewn cwpwrdd
tywyll
in a dark cupboard

3. Pa blanhigyn fydd yn parhau i dyfu? Which plant will continue to grow?

planhigyn
plant

A

heb ddŵr o gwbl
given no water

planhigyn
plant

B

Gosodwch eich
sticer yma
Place your
sticker here

gydag ychydig o
ddŵr bob dydd
given a little water every day

4. Pa blanhigyn fydd yn atgenhedlu a chreu planhigion newydd? Which plant will reproduce and make new plants?

Gosodwch eich
sticer yma
Place your
sticker here

planhigyn
plant

A

mae ganddo
flodau a hadau
it has flowers and seeds

planhigyn
plant

B

does dim blodau
na hadau
it has no flowers or seeds

Y GEIRIADUR GWYDDONOL SCIENCE DICTIONARY

Blaguro – pan mae hedyn yn dechrau tyfu.
Germinate – when a seed starts to grow.

Gosodwch eich
sticer seren yma

Place your
star sticker here

Rhannau'r planhigyn
Plant parts

Labelwch rannau gwahanol y planhigyn hwn. Dewiswch o'r geiriau yma:
Label the different parts of this plant. Choose from the following words:

dail　　**coesyn**　　**gwreiddiau**　　**blodau**　　**hadau**　　**paill**　　**planhigion**
leaves　　stem　　roots　　　　　　flowers　　seeds　　pollen　　plants

Dewiswch un o'r geiriau hyn i gwblhau'r brawddegau.
Choose from the same words to complete the sentences.

1. Mae'r _____ yn dal y planhigyn yn gadarn yn y tir.
1. The _____ hold the plant firmly in the ground.

2. Mae maeth o'r pridd yn teithio trwy'r gwreiddiau, i fyny'r _____ ac i'r dail.
2. Nutrients from the soil travel through the roots, up the _____ and to the leaves.

3. Mae'r _____ yn amsugno goleuni'r haul a'i newid i egni a bwyd i'r planhigyn.
3. The _____ soak up sunlight and convert it into energy and food for the plant.

4. Mae'r _____ yn denu trychfilod sy'n bwydo ar y paill.
4. The _____ attract insects that feed on the pollen.

5. Mae'r _____ yn glynu wrth y trychfil ac yn cael ei ledaenu i blanhigion eraill.
5. The _____ sticks to the insects and is spread to other plants.

6. Mae'r blodau'n marw ac mae _____ yn cael eu ffurfio.
6. The flowers die and _____ are formed.

7. Mae'r hadau'n cael eu gwasgaru ac yn tyfu i greu _____ newydd.
7. The seeds are scattered and grow to make new _____.

Gosodwch eich sticer seren yma
Place your star sticker here

Beth sydd i ginio?
What's for dinner?

Mae pob peth byw yn rhan o 'gadwyn fwyd'. Planhigion sydd ar ddechrau pob cadwyn fwyd. Dilynwch y saethau yn y gadwyn fwyd hon i weld pwy sy'n bwyta beth.

All living things are part of what is called a 'food chain'. Plants are at the beginning of every food chain. Follow the arrows in this food chain to see who eats what.

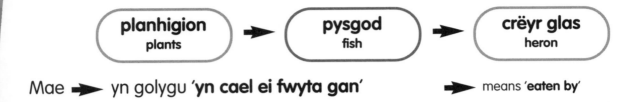

Mae ➡ yn golygu **'yn cael ei fwyta gan'** ➡ means **'eaten by'**

Lluniwch gadwyn fwyd ar gyfer pob grŵp o bethau byw isod.
Draw a food chain for each group of living things below.

1. **llygoden** mouse   **tylluan** owl   **planhigion** plants

2. **llew** lion   **planhigion** plants   **sebra** zebra

3. **trychfilod** insects   **neidr** snake   **broga** frog   **planhigion** plants

4. **planhigion** plants   **morfil ffyrnig** killer whale   **morlo** seal   **pysgodyn mawr** big fish   **pysgodyn bach** small fish

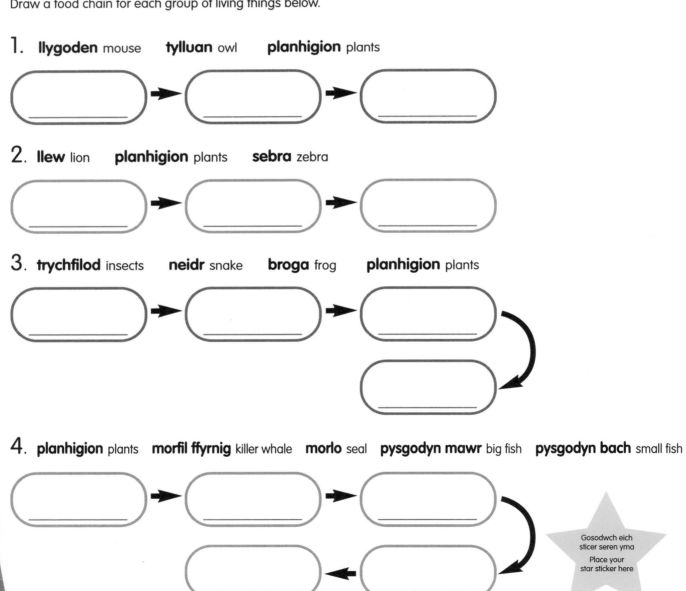

Gosodwch eich sticer seren yma
Place your star sticker here

Ysglyfaethwr neu ysglyfaeth?
Predator or prey?

Mae 'ysglyfaethwyr' yn anifeiliaid sy'n bwyta anifeiliaid eraill.

Yr 'ysglyfaeth' yw'r anifeiliaid maen nhw'n bwyta.

'Predators' are animals that eat other animals. 'Prey' are the animals they eat.

Chwiliwch am y sticeri a rhowch nhw yn y lleoedd cywir.

Rhowch gylch o gwmpas yr ysglyfaethwr ym mhob pâr o eiriau.

Find the stickers and put them in place.

Circle the predator in each pair of animal words.

Gosodwch eich sticer yma

Place your sticker here

blaidd – gafr
wolf – goat

siarc – crwban y môr
shark – sea turtle

gwlithen – draenog
slug – hedgehog

aderyn du – mwydyn
blackbird – earthworm

llygoden – tylluan
vole – owl

morlo – arth wen
seal – polar bear

Gosodwch eich sticer yma

Place your sticker here

teigr – carw
tiger – deer

neidr fach – eryr
small snake – eagle

Gosodwch eich sticer seren yma

Place your star sticker here

Addasu
Adapting

Mae pob planhigyn ac anifail yn addasu i ble maen nhw'n byw.

All plants and animals are adapted to where they live.

Chwiliwch am y sticeri a rhowch nhw yn y lleoedd cywir. Lluniwch linell sy'n mynd rhwng yr anifail neu blanhigyn a'i nodweddion neu addasiadau arbennig.

Find the stickers and put them in place.
Draw a line to join each animal or plant to its special features or adaptations.

coesyn a dail trwchus er mwyn storio dŵr

thick stem and leaves to store water

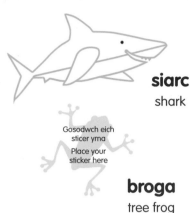

siarc
shark

broga
tree frog

lliwiau llachar er mwyn dychryn anifeiliaid peryglus

brightly coloured to scare predators

cyrn i amddiffyn rhag ysglyfaethwyr

horns to defend itself from predators

cactws
cactus

traed gweog, corff llyfn er mwyn nofio

webbed feet, streamlined body for swimming

teigr
tiger

rhesi o ddannedd miniog i ddal bwyd

rows of razor-sharp teeth to catch prey

morlo
seal

tafod hir gludiog i ddal trychfilod

long sticky tongue to catch insects

streipiau yn eu helpu i guddio yn y gwair hir

stripes provide camouflage in the long grass

rhinoseros
rhinoceros

Gosodwch eich sticer seren yma

Place your star sticker here

Gosodwch eich sticer yma

Place your sticker here

cameleon
chameleon

Dosbarthu
Classifying

Ysgrifennwch enwau'r anifeiliaid yma yn y grwpiau cywir isod.
Write the names of these animals in the correct groups below.

**broga madfall llyffant crwban crocodeil neidr dyn morfil brân
cwningen chwilen brithyll siarc tylluan alarch pengwin pryfyn ci**

frog lizard toad tortoise crocodile snake human whale raven
rabbit beetle trout shark owl swan penguin housefly dog

Ymlusgiaid
Reptiles

Pysgod
Fish

Amffibiaid
Amphibians

Mamaliaid
Mammals

Trychfilod
Insects

Adar
Birds

Y corff dynol
Human body

Mae eich corff yn gweithio drwy'r amser - hyd yn oed wrth i chi gysgu. Dysgwch enwau'r rhannau pwysig hyn o'r corff a darllenwch am beth maen nhw'n ei wneud.

Your body is working the whole time – even when you are sleeping. Learn the names of these important parts of your body and read about what they do.

Chwiliwch am y sticer a'i roi yn y lle cywir. Labelwch rannau gwahanol o'r corff.
Ysgrifennwch ar y llinellau, trwy ddewis o'r geiriau isod.

Find the sticker and put it in place. Label the different parts of the body. Write on the lines, choosing from the words below.

calon   **ysgyfaint**   **ymennydd**   **stumog**   **y bledren**   **arennau**   **coluddyn**   **afu/iau**
heart   lungs   brain   stomach   bladder   kidneys   intestines   liver

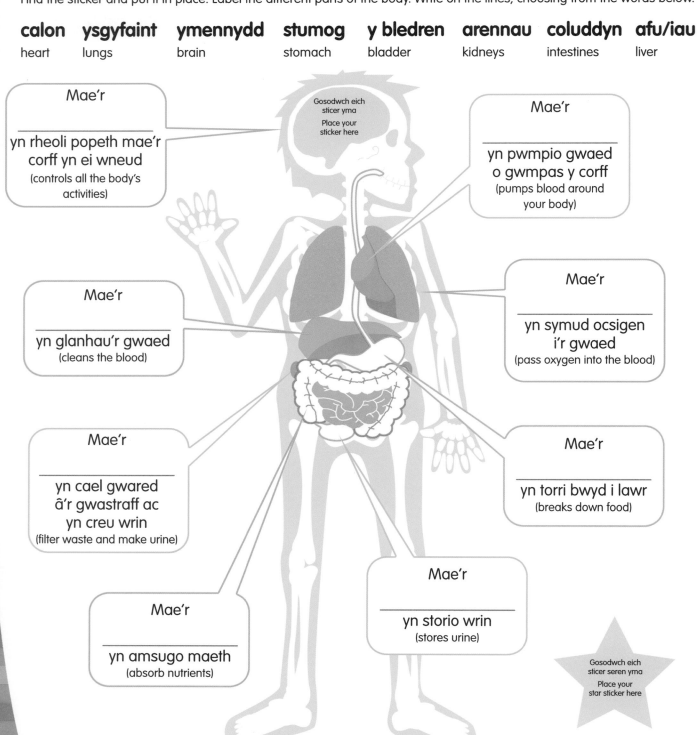

Mae'r
_____
yn rheoli popeth mae'r
corff yn ei wneud
(controls all the body's
activities)

Gosodwch eich
sticer yma
Place your
sticker here

Mae'r
_____
yn pwmpio gwaed
o gwmpas y corff
(pumps blood around
your body)

Mae'r
_____
yn glanhau'r gwaed
(cleans the blood)

Mae'r
_____
yn symud ocsigen
i'r gwaed
(pass oxygen into the blood)

Mae'r
_____
yn cael gwared
â'r gwastraff ac
yn creu wrin
(filter waste and make urine)

Mae'r
_____
yn torri bwyd i lawr
(breaks down food)

Mae'r
_____
yn storio wrin
(stores urine)

Mae'r
_____
yn amsugo maeth
(absorb nutrients)

Gosodwch eich
sticer seren yma
Place your
star sticker here

Croen ac esgyrn
Skin and bones

Mae eich croen yn gwneud sawl peth gwahanol.

Your skin has many different jobs.

Rhowch gylch o gwmpas y pethau y mae'r croen yn ei wneud.

Rhowch linell trwy'r pethau dydy'r croen ddim yn ei wneud.

Circle the things your skin does for you. Cross out the things it does not do.

Mae'n cadw'r germau allan.
It keeps germs out.

Mae'n rheoli tymheredd fy nghorff.
It regulates my body temperature.

Mae'n pwmpio gwaed.
It pumps blood.

Mae'n creu fitamin D.
It produces vitamin D.

Mae'n amddiffyn beth sydd tu mewn i'r corff.
It protects what's inside my body.

Mae'n fy helpu i anadlu.
It helps me breathe.

Mae'n gallu synhwyro poen, cyffyrddiad a thymheredd.
It senses pain, touch, temperature.

Mae'n treulio bwyd.
It digests food.

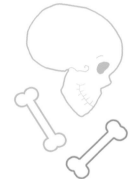

Llenwch y geiriau coll i gwblhau'r ffeithiau hyn am eich sgerbwd.

Fill in the missing words to complete these facts about your skeleton.

penglog	**sgerbwd**	**asgwrn cefn**	**ffemwr**	**traed**	**asennau**
skull	skeleton	spine	femur	feet	ribs

1. Mae 206 asgwrn yn y _____ dynol.

1. There are 206 bones in the human _____.

2. Enw'r asgwrn sy'n amddiffyn eich ymennydd yw'r _____.

2. The bone that protects your brain is called your _____.

3. Enw'r asgwrn yn eich cefn yw'r _____.

3. The bones in your back are called your _____.

4. Enw'r esgyrn yn eich brest yw'r _____.

4. The bones in your chest are called your _____.

5. Yr agwrn hiraf yn eich corff yw'r _____.

5. The longest bone in your body is your _____.

6. Mae'r rhan fwyaf o'ch esgyrn yn eich _____.

6. Most of your bones are in your _____.

Bwyta'n iach
Eat well

Mae diet iach yn golygu bwyta amrywiaeth o fwydydd o bob grŵp bwyd bob dydd.
Having a healthy diet means eating a variety of foods from each food group every day.

Ysgrifennwch y bwydydd hyn yn y grwpiau bwyd cywir isod.
Write these foods in the correct food groups below:

**menyn   pysgod   orennau   reis   brocoli   pys
iogwrt   pasta   tomatos   hufen**

butter   fish   oranges   rice   broccoli   peas   yoghurt   pasta   tomatoes   cream

Carbohydradau
Carbohydrates

tatws (potatoes)   grawnfwyd (cereals)
nwdls (noodles)   bara (bread)

Ffrwythau a llysiau
Fruit and vegetables

afalau (apples)   bananas (bananas)
moron (carrots)   ffa gwyrdd (green beans)

Proteinau
Proteins

cig (meat)   ffa (beans)   llaeth (milk)
caws (cheese)   wyau (eggs)

Cynnyrch llaeth
Dairy products

llaeth (milk)   caws (cheese)

Tynnwch lun plât bwyd iach, yn cynnwys bwyd o bob grŵp bwyd.
Draw a healthy plate of food, including foods from each food group.

hylif i dorri syched
liquids for hydration

carbohydradau i gael egni
carbohydrates for energy

cynnyrch llaeth i gael esgyrn cryf
dairy for strong bones

ffrwythau a llysiau i gael fitaminau
fruit and vegetables for vitamins

proteinau i dyfu
proteins for growth

Gosodwch eich sticer seren yma

Place your star sticker here

Dannedd
Teeth

Mae gennym ni 26 o ddannedd cyntaf. Rydym yn colli rhain yn bump oed er mwyn gwneud lle i'r 32 o ddannedd parhaol.

We have 26 baby teeth (or first teeth). We lose these from the age of about five years to make way for our 32 permanent (or second) teeth.

Tynnwch lun o'ch dannedd yn y lleoedd cywir yn y geg isod. Defnyddiwch ddrych (neu ffotograff) i'ch helpu.

Draw each of your teeth in the correct place on the upper and lower jaw below. Use a hand mirror (or photograph) to help you do this.

Mae'n rhaid i ni edrych ar ôl ein dannedd er mwyn aros yn iach. Ysgrifennwch reolau ar gyfer gofalu am eich dannedd. Ceisiwch ddefnyddio'r geiriau yma:

We need to look after our teeth in order to stay healthy. Write some rules for caring for your teeth. Try to use these words:

dwywaith y dydd, brwsh dannedd, past dannedd, edau dannedd (floss), plac, bwydydd â gormod o siwgr, diodydd byrlymus, deintydd

twice a day, toothbrush, toothpaste, floss, plaque, sugary snacks, fizzy drinks, dentist, check-ups

1._____

_____

2._____

_____

3._____

_____

4._____

_____

Cyfrwch ac yna llenwch y bylchau yma:

Count and then complete the following:

Mae gen i _____ o ddannedd cyntaf.

I have _____ baby teeth.

Mae gen i _____ o ddannedd parhaol.

I have _____ permanent teeth.

Mae gen i _____ o fylchau.

I have _____ gaps.

Enw'r dannedd cefn yw'r cilddannedd. Enw'r dannedd miniog yw'r dannedd llygad. Mae gennych flaenddannedd hefyd. Labelwch nhw ar eich llun uchod.

Your back teeth are called **molars**, your pointy teeth are **canines** and your front teeth are **incisors**. Label these on your drawing above.

Deunyddiau
Material world

Mae popeth wedi ei wneud o rhyw ddeunydd. Mae gan y deunyddiau hyn 'nodweddion' sy'n eu gwneud nhw'n addas ar gyfer cynhyrchion penodol.

A material is what something is made of. Materials have features (called 'properties') that make them useful for particular products.

Gorffenwch y tabl isod. Meddyliwch am sut mae'r deunyddiau hyn yn cael eu defnyddio. Edrychwch o gwmpas eich cartref i weld enghreifftiau.

Complete the table below. Think about how the following materials are used.
Look around your home for examples.

Deunydd (Material)	Nodweddion (Properties)	Cael ei ddefnyddio ar gyfer (Used for)
gwlân (wool)	cynnes, meddal, gallu cael ei wâu a'i wehyddu warm, soft, can be knitted and woven	dillad (clothes)
dur (steel)	cryf, caled strong, hard	
rwber (rubber)	hyblyg, gallu ei fowldio flexible, can be moulded	
gwydr (glass)	tryloyw transparent	
plastig (plastic)	hyblyg, gallu ei fowldio flexible, can be moulded	
papur (paper)	hyblyg, ysgafn flexible, lightweight	
carreg (stone)	cryf, caled strong, hard	

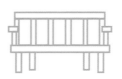

Gosodwch eich sticer seren yma

Place your star sticker here

Pa ddeunydd?
What's it made of?

Chwiliwch am y sticeri a rhowch nhw yn y lleoedd cywir. Yna ysgrifennwch ar y llinellau pam mae pob deunydd yn addas ar gyfer gwneud pob eitem.

Find the stickers and put them in place. Then write on the lines why each material is suitable for making each product.

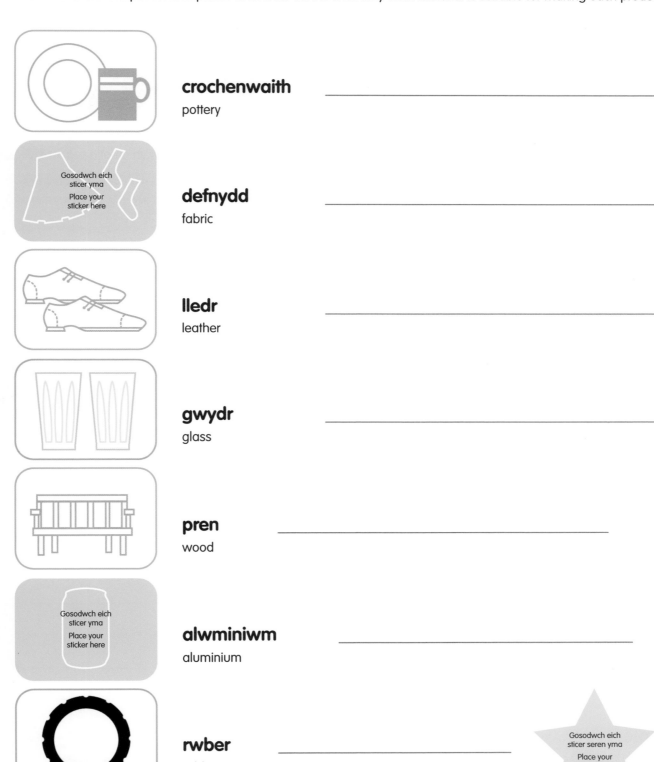

crochenwaith
pottery

_____

defnydd
fabric

_____

lledr
leather

_____

gwydr
glass

_____

pren
wood

_____

alwminiwm
aluminium

_____

rwber
rubber

_____

Gosodwch eich sticer yma
Place your sticker here

Gosodwch eich sticer seren yma
Place your star sticker here

Bydd yn wyddonydd!
Be a scientist!

Mae gwyddonwyr yn bobl sy'n gofyn cwestiynau am y byd o'u cwmpas. Maen nhw'n meddwl am beth fydd yn digwydd mewn sefyllfaoedd arbennig ac yn ceisio dyfalu beth fydd yn digwydd. Yna maen nhw'n gwneud profion i weld os oedden nhw'n gywir.

Scientists are people who ask questions about the world around them. They think about what will happen in certain situations and make predictions. Then they test their ideas to see if they were right.

Gallwch chi fod yn wyddonydd hefyd, trwy ymchwilio i'r cwestiwn hwn:

You can be a scientist, too, by investigating the following question:

Pa ddeunyddiau fydd yn arnofio? Which materials will float?

Beth fyddwch ei angen: What you need:

Bwced o ddŵr bucket of water

Eitemau bach wedi eu gwneud o'r deunyddiau yma:
Small objects made of the following materials:

pren (brigyn bach) wood (small stick)

rwber rubber (eraser)

clai modelu modelling clay

dur (cyllell/fforc) steel (cutlery)

crochenwaith (plât) pottery (plate)

polystyren (pecynnu) polystyrene (packaging)

Rhowch dro arni ... What you do:

1. Ceisio rhagweld os fydd yr eitem yn arnofio neu suddo. Llenwi'r tabl isod.
   Predict whether you think each object will float or sink. Complete the table below.

2. Darganfod os ydych chi'n iawn trwy roi'r eitemau mewn sinc neu fwced yn llawn dŵr.
   Find out if you were right by putting the objects in a sink or bucket filled with water.

3. Nodi eich canlyniadau yn y tabl isod.
   Record your results in the table below.

4. Esbonio beth ddigwyddodd a pham y digwyddodd yn eich barn chi.
   Explain what happened and why you think this happened.

5. Profi dau eitem arall o'ch dewis chi a llenwi'r tabl gyda'r canlyniadau.
   Test two more items of your own choice and complete the table with your findings.

Deunydd (Material)	Rwy'n rhagweld ... (arnofio/suddo) I predict it will... (float/sink)	Arnofio (Floats)	Suddo (Sinks)	Pam? (Explain why)
pren (wood)				
rwber (rubber)				
clai modelu (modelling clay)				
dur (steel)				
crochenwaith (pottery)				
polystyren (polystyrene)				

Gwnewch hyn... Try this...

Siapio'r clai modelu fel y bydd yn arnofio mewn dŵr. Gwnewch siâp cwch gydag ochrau i stopio'r dŵr rhag dod i mewn!

Shape the modelling clay so that it will float on water.
Try a boat shape with sides to stop the water flooding in!

Gosodwch eich sticer yma
Place your sticker here

Gosodwch eich sticer seren yma
Place your star sticker here

Atebwch y cwestiwn yma trwy wneud eich arbrawf gwyddonol eich hun:
Answer the following question by setting up your own science investigation:

Pa ddeunyddiau sy'n fagnetig? Which materials are magnetic?

Beth fyddwch ei angen: What you need:

magnet

Eitemau wedi eu gwneud o ddeunyddiau gwahanol, er enghraifft:

objects made of different materials, for example:

ceiniog gopr (copper coin)

clip papur dur (steel paper clip)

llwy bren (wooden spoon)

band elastig (elastic band)

papur (paper)

allwedd fetel (metal key)

ffoil alwminiwm (aluminium foil)

hoelen haearn (iron nail)

doli glwt (fabric toy)

Rhowch dro arni ... What you do:

1. Ceisio rhagweld os fydd yr eitem yn cael ei atynnu at y magnet. Llenwi'r tabl isod.
   Predict whether you think each object will be attracted to the magnet. Complete the table below.

2. Darganfod os ydych chi'n iawn trwy brofi pob eitem. Os yw'r eitem yn glynu at y magnet, mae'n 'fagnetig'.
   Find out if you were right by testing each of the objects in turn. If the object sticks to the magnet then it is 'magnetic'.

3. Nodi eich canlyniadau yn y tabl isod.
   Record your results in the table below.

4. Esbonio beth ddigwyddodd a pham y digwyddodd yn eich barn chi.
   Explain what happened and why you think this happened.

5. Profi dau eitem arall o'ch dewis chi a llenwi'r tabl gyda'r canlyniadau.
   Test two more items of your own choice and complete the table with your findings.

Deunydd (Material)	Rwy'n rhagweld ... (magnetig/ddim yn fagnetig) I predict it will (stick / not stick) to the magnet	Magnetig (Magnetic)	Ddim yn fagnetig (Non-magnetic)	Pam? (Explain why)
defnydd (fabric)				
pren (wood)				
papur (paper)				
plastig (plastic)				
haearn (iron)				
dur (steel)				

Gwnewch hyn... Try this...

Bydd angen dau fagnet bar arnoch. Profwch nhw fel isod!
You will need two bar magnets. Test them as below.

A G (N) — D (S)   D (S) — G (N)   ☐

B G (N) — D (S)   G (N) — D (S)   ☐

Pa fagnetau fydd yn atynnu ei gilydd? Ticiwch A neu B.
Which of these bar magnets will attract each other? Tick A or B.

Solid neu hylif?
Solid or liquid?

Gall deunyddiau fod yn solid, yn hylif neu'n nwy.

Materials can be either a solid, or a liquid, or a gas.

Er enghraifft: For example:

Mae rhew yn solid.
Ice is a solid.

Mae dŵr yn hylif.
Water is a liquid.

Mae stêm yn nwy.
Steam is a gas.

Chwiliwch am y sticeri a rhowch nhw yn y lleoedd cywir. Lluniwch linellau i labelu'r eitemau canlynol. Penderfynwch os ydyn nhw'n solid, hylif neu'n nwy.

Find the stickers and put them in place. Draw lines to label the following items. Decide whether they are a solid, liquid or gas.

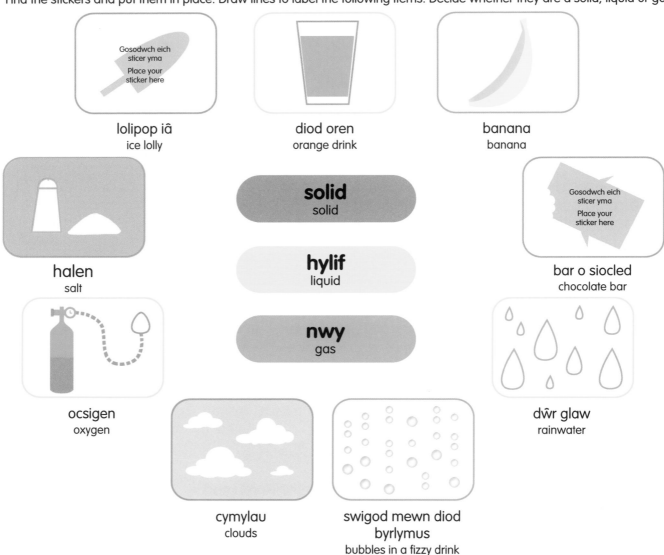

lolipop iâ
ice lolly

diod oren
orange drink

banana
banana

solid
solid

halen
salt

hylif
liquid

bar o siocled
chocolate bar

nwy
gas

ocsigen
oxygen

dŵr glaw
rainwater

cymylau
clouds

swigod mewn diod byrlymus
bubbles in a fizzy drink

Gallwn newid rhai solidau i hylif trwy eu cynhesu nhw.

We can turn some solids into liquids by heating them.

Er enghraifft: For example:

Os ydych yn toddi bar o siocled mae'n troi'n hylif.

Os ydych yn ei oeri, mae'n troi'n ôl yn solid.

If we melt a chocolate bar it turns into a liquid. If we cool it down again, it turns back into a solid!

Gosodwch eich sticer seren yma

Place your star sticker here

Y Gylchred Ddŵr
Water cycle

Mae'r dŵr ar ein planed wedi cael ei ailgylchu sawl gwaith dros y blynyddoedd. Efallai mai'r un dŵr sy'n llifo o'ch tap â'r dŵr llyn oedd yn cael ei yfed gan y dinosoriaid filiynau o flynyddoedd yn ôl!

The water on our planet has been recycled over and over again throughout time. The water in your tap could be the same water that the dinosaurs drank from lakes millions of years ago!

Mae dŵr yn cael ei ailgylchu fel rhan o'r 'gylchred ddŵr'. Dewiswch o'r geiriau yma i orffen y disgrifiad o'r gylchred ddŵr.

Water is recycled through the 'water cycle'. Choose from the following words to complete this description of the water cycle.

afonydd	**dŵr**	**cymylau**	**eira**	**Haul**	**anweddu**	**gwynt**	**glaw**
rivers	water	clouds	snow	Sun	evaporates	wind	rain

Mae'r _____ yn cynhesu dŵr o'r moroedd, llynnoedd, _____ a nentydd ac mae'n anweddu. Wrth iddo _____, mae'n codi ac yna'n oeri i ffurfio _____. Mae'r cymylau'n cael eu chwythu gan y _____ dros dir uchel ac yn cael eu hoeri fwy. Mae'r diferion o _____ yn y cymylau yn mynd yn fwy ac yn disgyn fel _____. Os yw tymheredd yr aer yn oer iawn, mae'r glaw yn troi'n _____ ac yn rhew.

The _____ heats up the water in the oceans, lakes, _____ and streams and it evaporates. As it _____, it rises and then cools to form _____. The clouds are blown by the _____ over higher ground and are cooled even more. The droplets of _____ in the clouds get bigger and fall as _____. If the air temperature is very cold, rain turns to _____ and ice.

Y GEIRIADUR GWYDDONOL SCIENCE DICTIONARY

Anweddu – pan mae hylif yn troi'n nwy
(e.e. dŵr yn troi'n anwedd dŵr)

Evaporation – when a liquid turns into a gas (e.g. water becomes water vapour)

Cyddwysiad – pan mae nwy yn troi'n hylif
(e.e. anwedd dŵr yn troi'n gymylau)

Condensation – when a gas turns into a liquid (e.g. water vapour becomes clouds)

Rhewi – pan mae hylif yn troi'n solid
(e.e. dŵr yn troi'n rhew)

Freezing – when a liquid turns into a solid (e.g. water becomes ice)

Gosodwch eich sticer seren yma

Place your star sticker here

Gan ddefnyddio eich sgiliau gwyddonol ymchwiliwch i'r cwestiwn yma.

Investigate the following question using your science skills.

Pa solidau fydd yn hydoddi mewn dŵr? Which solids will dissolve in water?

Beth fyddwch ei angen:

What you need:

**solidau i'w profi –
siwgr, halen, blawd,
coffi, tywod**

solids to test – **sugar, salt, flour,
instant coffee, sand**

llwy de (teaspoon)

bicer o ddŵr
(beaker of water)

bicer o ddŵr cynnes
(beaker of warm water)

Beth i'w wneud: What you do:

1. Rhowch llond llwy de o'r solid cyntaf yn y bicer o ddŵr.
   Put a teaspoon of the first solid you are going to test into the beaker of water.

2. Trowch y gymysgedd sawl gwaith. Cyfri a nodi'r nifer o droadau yn y tabl.
   Stir many times. Count and note the number of stirs in the table below.

3. Ydy'r solid wedi hydoddi (wedi'i dorri) yn y dŵr?
   Has the solid dissolved (broken up) in the water?

4. Nodwch eich canlyniadau yn y tabl.
   Record your results in the table.

5. Gwnewch yr arbrawf eto ond y tro hwn defnyddiwch ddŵr cynnes. Ydy'r canlyniadau'n wahanol?
   Repeat the experiment but this time use warmer water. Does this make a difference?

6. Profwch ar y solidau eraill ar y rhestr. Cymharwch y canlyniadau.
   Test the other solids from the list. Compare your findings.

Math o solid Solid type	Nifer o droadau Number of stirs	Hydoddi Dissolves	Ddim yn hydoddi Does not dissolve
siwgr (sugar)			
halen (salt)			
blawd (flour)			
coffi parod (instant coffee)			
tywod (sand)			

Y GEIRIADUR GWYDDONOL SCIENCE DICTIONARY

Hydoddiant – pan mae solid yn hydoddi (dissolve) mewn dŵr
mae'n creu hydoddiant (solution)

Solution – when a solid dissolves in water it makes a 'solution'.

Hydawdd – solid sy'n hydoddi mewn dŵr.

Soluble – solids that dissolve in water.

Anhydawdd – solid sydd ddim yn hydoddi mewn dŵr.

Insoluble – solids that do not dissolve in water.

Gosodwch eich
sticer seren yma

Place your
star sticker here

Ydych chi'n clywed?
Hear that?

Mae synnau yn cael eu creu pan mae pethau yn dirgrynu (vibrate).
Pan rydych yn curo drwm, mae croen y drwm yn dirgrynu ac mae tonnau sain yn teithio trwy'r aer i gyrraedd eich clustiau.

Sounds are made when objects vibrate. When you bang on a drum, the drum skin vibrates and sound waves travel through the air to reach your ears.

Gwnewch restr o'r synau y gallwch eu clywed yn eich cartref a synau y gallwch eu clywed y tu allan. Beth wnaeth y synau hyn?

Make a list of sounds you can hear in your home and sounds you can hear outside. What made these sounds?

Synau y tu mewn i'r tŷ Sounds heard inside the house:	Synau y tu allan i'r tŷ Sounds heard outside the house:

Mae synau yn gallu teithio trwy solidau fel brics, pren a gwydr. Dyna pam rydym ni'n gallu clywed synau'n dod o du allan i'r tŷ.

Sounds can travel through solids such as bricks, wood and glass. That's why we can hear sounds coming from outside the house.

Gwnewch hyn... Try this...

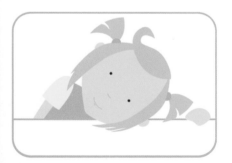 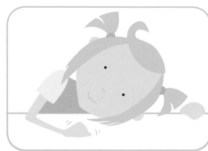 

1. Gorffwyswch ochr eich pen ar ben bwrdd fel bod eich clust yn cyffwrdd yr arwyneb.

Rest the side of your head on top of a table so that your ear is resting against the surface.

2. Cnociwch ar y bwrdd.

Knock on top of the table.

3. Yna codwch eich pen a chnociwch ar y bwrdd eto.

Now lift up your head and knock on the table again.

Oedd y sŵn yn gryfach pan oedd eich clust ar y bwrdd?
Pam? Mae'r dirgryniadau sain yn teithio'n haws trwy'r bwrdd na thrwy'r aer – dyna pam mae'r sŵn yn uwch.

Was the sound louder when you had your ear against the table? Why? The sound vibrations travelled more easily through the table than through the air – that's why the sound was louder.

Goleuni
Light

Mae goleuni'n dod o sawl ffynhonnell. Chwiliwch am y sticeri a'u rhoi nhw yn y lleoedd cywir. Rhowch gylch o gwmpas y pethau sy'n rhoi goleuni i ni.

Light comes from many sources. Find the stickers and put them in place. Circle the things that give us light.

Gosodwch eich sticer yma

Place your sticker here

Gosodwch eich sticer yma

Place your sticker here

Gorffennwch y brawddegau isod trwy lenwi'r bylchau. Dewiswch o'r geiriau yma.

Finish the sentences below by filling in the missing words. Choose from the list.

trydan	**Haul**	**goleuni**	**nos**	**tywyllu**	**y Ddaear**
electric	Sun	light	night-time	dark	Earth

1. Mae'r _____ yn rhoi _____ i ni trwy'r dydd.

   The _____ gives us _____ throughout the day.

2. Pan mae _____ yn troi i ffwrdd o'r Haul rydym ni'n cael

   y _____.

   When the _____ turns away from the Sun we get _____.

3. Rydym yn troi goleuadau _____ ymlaen yn

   ein cartrefi pan fydd yr awyr yn _____.

   We switch on _____ lights in our homes when it goes _____.

Gosodwch eich sticer seren yma

Place your star sticker here

Cysgod
Shade

Mae cysgodion yn cael eu creu pan fydd rhywbeth yn rhwystro'r golau.

Shadows are made when an object blocks out the light.

Er enghraifft, mae'r mwg yn taflu cysgod ar y bwrdd gan ei fod yn rhwystro'r golau sy'n dod o'r lamp.

For example, the mug casts a shadow on the table because it blocks out the light from the lamp.

Mae'r cysgodion ar goll o'r lluniau isod! Ble ddylai'r cysgodion fod? Tynnwch lun ohonyn nhw. Edrychwch ar ble mae'r haul bob tro. Mae'r un cyntaf wedi ei wneud i chi.

The shadows are missing from the pictures below! Where should the shadows be? You can draw them in. Look at the position of the Sun each time. The first one has been done for you.

Gosodwch eich sticer yma

Place your sticker here

Nawr fe allwch chi liwio'r lluniau!

Now you can colour in the pictures!

Ydych chi wedi sylwi…? Have you noticed…?

Mae cysgodion yn hirach yn gynnar yn y bore ac yn hwyr yn y prynhawn pan mae'r haul yn ymddangos yn fwy isel yn yr awyr. Mae cysgodion yn fyrrach ganol dydd.

Shadows are longest earlier in the morning and later in the day when the Sun appears lower in the sky. Shadows are shortest at midday.

Gosodwch eich sticer seren yma

Place your star sticker here

Gwthio a thynnu
Push and pull

Mae pob symudiad naill ai'n grym gwthio neu dynnu. Chwiliwch am y sticeri a'u rhoi yn y lleoedd cywir. Labelwch y lluniau. Ysgrifennwch 'gwthio' neu 'tynnu' o dan bob un.

All movement is either a push or a pull force. Find the stickers and put them in place. Label the following pictures. Write push or pull under each one.

Gosodwch eich sticer yma

Place your sticker here

Gosodwch eich sticer yma

Place your sticker here

Nawr rhowch saeth i ddangos cyfeiriad y grym (neu'r symudiad) ym mhob llun.

Meddyliwch am fwy o enghreifftiau o wthio a thynnu. Tynnwch luniau o wthio a thynnu yn y gofod isod. Yna rhowch saethau i ddangos cyfeiriad y grym ar bob llun.

Now draw an arrow to show the direction of the force (or movement) in each picture.

Think of some more examples of pushes and pulls. Draw pictures of pushes and pulls in the space below. Then draw arrows to show the direction of the force in each example.

Gosodwch eich sticer seren yma

Place your star sticker here

Disgyrchiant yn tynnu
Gravity pulls

Mae grym o'r enw 'disgyrchiant' yn tynnu popeth i lawr i'r Ddaear. Mae faint mae'n tynnu i lawr yn cael ei fesur gan bwysau'r gwrthrych.

A force called 'gravity' pulls all objects down to the Earth.
The amount it pulls down is measured by the weight of the object.

Mae gwyddonwyr yn mesur pwysau mewn Newtonau – wedi ei enwi ar ôl Syr Isaac Newton, y gwyddonydd wnaeth ddarganfod sut mae disgyrchiant yn gweithio.

Scientists measure weight in Newtons – named after Sir Isaac Newton the scientist who discovered how gravity works.

Beth ydy eich pwysau chi mewn gramau?
How much do you weigh in grams?

Ysgrifennwch yma (Write it here) _____

Mae 100 gram yr un fath ag 1 Newton.
100 grams equals 1 Newton.

Rhannwch eich pwysau mewn gramau gyda 100 i weld beth yw eich pwysau mewn Newtonau.
Divide your weight in grams by 100 to calculate your weight in Newtons.

Beth yw eich pwysau mewn Newtonau?
How much do you weigh in Newtons?

Ysgrifennwch yma (Write it here) _____

Dysgwch… Find out…

Beth fyddai eich pwysau ar y Lleuad? Mae'r dynfa ddisgyrchiant ar y Lleuad chwe gwaith yn fwy nag ar y ddaear. Rhannwch eich pwysau gyda chwech i ddarganfod beth fyddai eich pwysau ar y lleuad.

What would you weigh on the Moon? The pull of gravity on the Moon is six times less than on Earth. Divide your weight by six to find out what you would weigh on the Moon.

Ar y Lleuad byddwn yn pwyso _____ gram.
On the Moon I would weigh _____ grams.

Y GEIRIADUR GWYDDONOL SCIENCE DICTIONARY

Di-bwysau – mewn atmosffer heb ddisgyrchiant, fel y Lleuad, mae gofodwyr yn teimlo eu bod mor ysgafn â phluen.

Weightlessness – astronauts experience 'weightlessness' in atmospheres that have no gravity.

Gwrthiant aer
Air pushes

Mae aer yn gwthio yn erbyn pethau sy'n disgyn i'w harafu nhw – 'gwrthiant aer' yw'r enw ar hyn.

Air pushes up against falling objects to slow them down – this is called 'air resistance'.

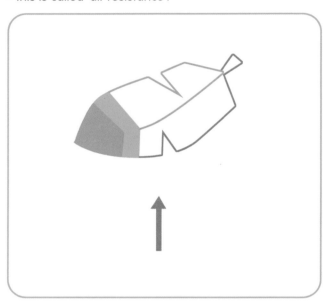

Gosodwch eich sticer yma

Place your sticker here

Chwiliwch am y sticer a'i roi yn y lle cywir. Rhowch saeth i ddangos cyfeiriad y gwrthiant aer sy'n arafu'r parasiwt.

Find the sticker and put it in place. Draw an arrow to show the direction of the air resistance that slows down the parachute.

Mae gan rhai gwrthrychau siâp llyfn iawn (streamlined) sy'n lleihau'r gwrthiant aer. Yn aml maen nhw'n deneuach yn y blaen i dorri trwy'r aer yn haws.
Lliwiwch y gwrthrychau sydd â siâp llyfn.

Some objects have a smooth streamlined shape to reduce air resistance.
They often have a pointy shape at the front to cut through the air more easily.
Colour in the objects that have a streamlined shape.

Gosodwch eich sticer seren yma

Place your star sticker here

Ffrithiant
Friction

Mae grym arall o'r enw 'ffrithiant' yn ceisio atal pethau rhag symud dros ei gilydd.

Another force called 'friction' tries to stop objects from moving over each other.

Mae'r dyn yn ceisio gwthio'r cwpwrdd trwm ar hyd y llawr ond mae ffrithiant ar arwyneb y llawr yn atal y cwpwrdd rhag symud.

The man tries to push the heavy wardrobe across the floor but friction from the floor's surface stops the wardrobe from moving.

Rhowch saeth i ddangos cyfeiriad grym y ffrithiant sy'n ceisio atal y bocs hwn rhag symud.

Draw an arrow to show the direction of the friction force that tries to stop this box from moving.

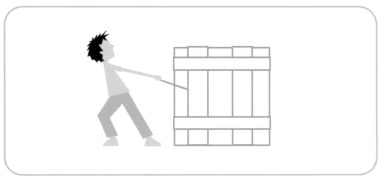

Mae gan rai arwynebau ffrithiant uchel – maen nhw'n arw ac yn anwastad, tra bod gan arwynebau eraill ffrithiant isel – maen nhw'n llithrig ac yn llyfn.

Some surfaces have high friction – they are bumpy and rough, while other surfaces have low friction – they are slippery and smooth.

Rhowch linell i labelu pob arwyneb fel naill ai 'ffrithiant uchel' neu 'ffrithiant isel'.

Draw a line to label each surface as either 'high friction' or 'low friction':

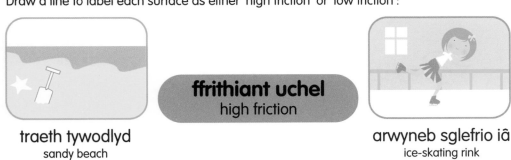

traeth tywodlyd
sandy beach

ffrithiant uchel
high friction

arwyneb sglefrio iâ
ice-skating rink

ffrithiant isel
low friction

llethr sgïo
ski slope

cae mwdlyd
muddy field

Gosodwch eich sticer seren yma

Place your star sticker here

Bydd yn wyddonydd!
Be a scientist!

Defnyddiwch eich sgiliau gwyddonol i ddarganfod sut mae dŵr yn gwthio yn erbyn pethau sy'n arnofio. Yr enw ar hyn yw 'brigwth' (upthrust).

Use your science skills to find out how water pushes up against floating objects. This is called 'upthrust'.

Allwch chi suddo potel blastig? Can you sink a plastic bottle?

Beth fyddwch ei angen:
What you need:

potel blastig wag (gyda chaead)
an empty plastic bottle (with top)

bwced neu sinc yn llawn dŵr
a bucket or sink of water

Beth i'w wneud: What you do:

1. Rhowch y caead ar y botel. Rhowch y botel yn y bwced neu'r sinc a cheisiwch ei suddo. Beth sy'n digwydd a pham?
   Put the top on the bottle. Place it in the bucket or the sink and try to 'sink' it. What happens and why?

2. Llenwch y botel gyda dŵr i'w hanner. Ceisiwch eto. Beth sy'n digwydd nawr?
   Half-fill the bottle with water. Try again. What happens now?

3. Pa mor llawn sydd angen i'r botel fod cyn iddi suddo? Pam?
   How full does the bottle need to be before it will sink? Why?

Darganfyddwch... Find out...

Sut mae llong danfor yn gallu suddo i waelod y môr ac yna'n codi i'r wyneb eto.

How a submarine is able to sink to the bottom of the ocean and then rise to the surface again.

Gosodwch eich sticer seren yma

Place your star sticker here

Mae gan sawl creadur môr siâp tenau llyfn i'w helpu nhw i symud yn haws trwy'r dŵr.

Many sea creatures have a streamlined shape to help them move more easily through the water.

Chwiliwch am y sticer a'i roi yn y lle cywir.

Lliwiwch ac enwch pa rai sy'n greaduriaid llyfn.

Find the sticker and put it in place. Colour and identify these streamlined sea creatures.

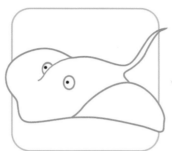

Gosodwch eich sticer yma

Place your sticker here

_____   _____   _____   _____

Pa un o'r rhain sydd â'r siâp gorau ar gyfer cwch?

Lliwiwch ac ychwanegwch hwyl (sail) iddo.

Which of these shapes is the best shape for a boat? Colour it in and add a sail.

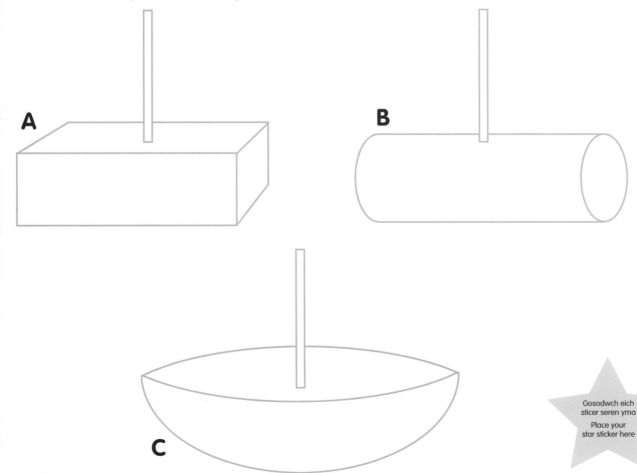

A

B

C

Gosodwch eich sticer seren yma

Place your star sticker here

Mae'n cymryd blwyddyn i'r Ddaear droi o gwmpas yr haul. Mae'n cymryd mis i'r Lleuad symud o gwmpas y Ddaear. Mae'r Ddaear a'r Lleuad yn symud yn groes i'r cloc (gwrthglocwedd).

It takes the Earth one year to orbit (move around) the Sun. It takes the Moon one month to orbit the Earth. The Earth and the Moon both move in an anti-clockwise direction.

Labelwch yr haul, y Lleuad a'r Ddaear yn y llun isod. Rhowch saeth i ddangos pa ffordd maen nhw'n symud.

Label the Sun, the Moon and the Earth in the diagram below.
Draw arrows to show the direction in which they move (anti-clockwise).

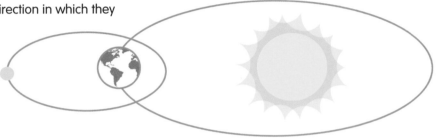

Llenwch y geiriau coll i gwblhau'r ffeithiau yma. Dewiswch o'r geiriau yma:

Fill in the missing words to complete the facts below. Choose from the following words:

awr	**dydd**	**nos**	**troi**	**y Ddaear**
hours	day	night	spins	Earth

Mae'r Ddaear yn _____ ar ongl ar echelin (axis) anweledig.

Mae'n cymryd 24 _____ i'r Ddaear droi unwaith ar ei hechelin.

Mae hyn yn rhoi _____ a nos i ni. Mae'r rhan o'r _____

sy'n troi tuag at yr Haul yn y dydd. Mae'r rhan o'r Ddaear sy'n troi oddi

wrth yr Haul yn y _____.

The Earth _____ at an angle on an invisible axis. It takes the Earth 24 _____ to turn once on its axis. This gives us _____ and night. The part of the _____ that turns towards the Sun has daytime. The part of the Earth that turns away from the Sun has _____ -time.

Rhowch gysgod ar y rhan o'r Ddaear sydd yn y tywyllwch (nos).
Shade the part of the Earth that is in darkness (night-time).

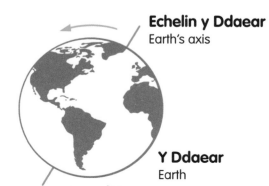

Echelin y Ddaear
Earth's axis

Haul
Sun

Y Ddaear
Earth

Gosodwch eich sticer seren yma
Place your star sticker here

Atebion
Answers

Ydy e'n beth byw? Is it a living thing?
gallu symud ar ei ben ei hun – plentyn, planhigyn (gallu troi i wynebu'r Haul), ci, aderyn (**can move by itself** – child, plant (can turn to face the Sun), dog, bird)

gallu tyfu – plentyn, planhigyn, ci, aderyn (**can grow** – child, plant, dog, bird)

gallu bwyta bwyd – plentyn, planhigyn (dail a gwreiddiau'n cymryd bwyd i mewn), ci, aderyn (**can eat food** – child, plant (leaves and roots take in food), dog, bird)

gallu defnyddio ei synhwyrau – plentyn, planhigyn (gallu synhwyro'r golau), ci, aderyn (**can use its senses** – child, plant (senses light), dog, bird)

gallu anadlu neu resbiradu – plentyn, planhigyn, ci, aderyn (**can breathe or respire** – child, plant, dog, bird)

Mae'r plentyn, y planhigyn, y ci a'r aderyn yn bethau byw. (The child, plant, dog and bird are living things.)

Bysedd gwyrdd! Green fingers!
Mae angen y pethau hyn ar blanhigion byw i dyfu: **goleuni'r haul, gwres, dŵr** a **bwyd**. Does dim angen dillad a thrydan arnyn nhw. (Living plants need these basic things in order to grow: **sunlight, warmth, water** and **food**. They do not need clothes and electricity.)

Aros yn fyw Staying alive
1. **B**, 2. **A**, 3. **B**, 4. **A**

Rhannau'r planhigyn
Plant parts

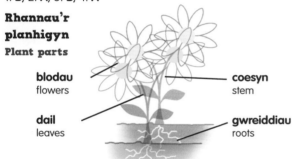

blodau – flowers
coesyn – stem
dail – leaves
gwreiddiau – roots

1. Mae'r **gwreiddiau** yn dal y planhigyn yn gadarn yn y tir. (The **roots** hold the plant firmly in the ground.)

2. Mae maeth o'r pridd yn teithio trwy'r gwreiddiau, i fyny'r **coesyn** ac i'r dail. (Nutrients from the soil travel through the roots, up the **stem** and to the leaves.)

3. Mae'r **dail** yn amsugno goleuni'r haul a'i newid i egni a bwyd i'r planhigyn. (The **leaves** soak up sunlight and convert it into energy and food for the plant.)

4. Mae'r **blodau** yn denu trychfilod sy'n bwydo ar y paill. (The **flowers** attract insects that feed on the pollen.)

5. Mae'r **paill** yn glynu i'r trychfilod ac yn cael ei ledaenu i blanhigion eraill. (The **pollen** sticks to the insects and is spread to other plants.)

6. Mae'r blodau'n marw ac mae **hadau** yn cael eu ffurfio. (The flowers die and **seeds** are formed.)

7. Mae'r hadau'n cael eu gwasgaru ac yn tyfu i greu **planhigion** newydd. (The seeds are scattered and grow to make new **plants**.)

Beth sydd i ginio? What's for dinner?
1. planhigion (plants) ➔ llygoden (mouse) ➔ tylluan (owl)
2. planhigion (plants) ➔ sebra (zebra) ➔ llew (lion)
3. planhigion (plants) ➔ trychfilod (insects) ➔ broga (frog) ➔ neidr (snake)
4. planhigion (plants) ➔ pysgod bach (small fish) ➔ pysgod mawr (big fish) ➔ morlo (seal) ➔ morfil ffyrnig (killer whale)

Ysglyfaethwr neu ysglyfaeth? Predator or prey?
Yr ysglafaethwyr yw: blaidd, siarc, draenog, aderyn du, tylluan, arth wen, teigr, eryr. (The predators are: wolf, shark, hedgehog, blackbird, owl, polar bear, tiger, eagle.)

Addasu Adapting
Siarc – rhesi o ddannedd miniog i ddal bwyd (**shark** – rows of razor-sharp teeth to catch prey) **Broga** – lliwiau llachar er mwyn dychryn anifeiliaid peryglus (**tree frog** – brightly coloured to scare predators) **Cactws** – coesyn a dail trwchus er mwyn storio dŵr (**cactus** – thick stem and leaves to store water) **Teigr** – streipiau yn helpu i guddio yn y gwair hir (**tiger** – stripes provide camouflage in the long grass) **Morlo** – traed gweog, corff llyfn er mwyn nofio (**seal** – webbed feet, streamlined body for swimming) **Rhinoseros** – cyrn i amddiffyn rhag ysglyfaethwyr (**rhinoceros** – horns to defend itself from predators) **Cameleon** - tafod hir gludiog i ddal trychfilod (**chameleon** – long sticky tongue to catch insects)

Dosbarthu Classifying
Ymlusgiaid – madfall, crwban, crocodeil, neidr (**Reptiles** – lizard, tortoise, crocodile, snake) **Amffibiaid** – broga, llyffant (**Amphibians** – frog, toad) **Pysgod** – brithyll, siarc (**Fish** – trout, shark) **Mamaliaid** – pobl, morfil, cwningen, ci (**Mammals** – human, whale, rabbit, dog) **Adar** – pengwin, alarch, brân, tylluan (**Birds** – penguin, swan, raven, owl) **Trychfilod** – chwilen, pryfyn (**Insects** – beetle, housefly)

Y corff dynol Human body
Mae'r **ymennydd** yn rheoli popeth mae'r corff yn ei wneud (**brain** – controls all the body's activities). Mae'r **galon** yn pwmpio gwaed o gwmpas y corff (**heart** – pumps blood around your body). Mae'r **ysgyfaint** yn symud ocsigen i'r gwaed (**lungs** – pass oxygen into the blood). Mae'r **afu/iau** yn glanhau'r gwaed (**liver** – cleans the blood). Mae'r **stumog** yn torri bwyd i lawr (**stomach** – breaks down food). Mae'r **coluddyn** yn amsugo maeth (**intestines** – absorb nutrients). Mae'r **arennau** yn cael gwared â'r gwastraff ac yn creu wrin (**kidneys** – filter waste and make urine). Mae'r **bledren** yn storio wrin (**bladder** – stores urine)

Croen ac esgyrn Skin and bones
Eich croen – Mae'n cadw'r germau allan, mae'n rheoli tymheredd fy nghorff, mae'n amddiffyn beth sydd tu mewn i'r corff, mae'n creu fitamin D, mae'n gallu synhwyro poen, cyffyrddiad a thymheredd. Nid yw'n eich helpu i anadlu, pwmpio gwaed na threulio bwyd. (**Your skin** – keeps germs out, regulates your body temperature, protects what's inside your body, produces vitamin D, and senses pain, touch and temperature. It does not help you to breathe, pump blood or digest food.)

1. Mae 206 asgwrn yn y **sgerbwd** dynol. (There are 206 bones in the human **skeleton**.)

2. Enw'r asgwrn sy'n amddiffyn eich ymennydd yw'r **penglog**. (The bone that protects your brain is called your **skull**.)

3. Enw'r asgwrn yn eich cefn yw'r **asgwrn cefn**. (The bones in your back are called your **spine**.)

4. Enw'r esgyrn yn eich brest yw'r **asennau**. (The bones in your chest are called your **ribs**.)

5. Yr agwrn hiraf yn eich corff yw'r **ffemwr**. (The longest bone in your body is your **femur**.)

6. Mae'r rhan fwyaf o'ch esgyrn yn eich **traed**. (Most of your bones are in your **feet**.)

Bwyta'n iach Eat well
Carbohydradau – tatws, grawnfwyd, nwdls, bara, pasta, reis (**Carbohydrates** – potatoes, cereals, noodles, bread, pasta, rice) **Ffrwythau a llysiau** – afalau, bananas, moron, ffa gwyrdd, orennau, brocoli, pys, tomatos (**Fruit and vegetables** – apples, bananas, carrots, green beans, oranges, broccoli, peas, tomatoes) **Proteinau** – cig, ffa, llaeth, caws, pysgod, wyau (**Proteins** – meat, beans, milk, cheese, fish, eggs) **Cynnyrch llaeth** – llaeth, caws, menyn, iogwrt, hufen (**Dairy products** – milk, cheese, butter, yoghurt, cream)

Dannedd Atebion posibl Teeth Possible answers
1. Brwshio eich dannedd ddwywaith y dydd yn defnyddio brwsh dannedd glân a phast dannedd. (Brush twice a day using a clean toothbrush and toothpaste.)

2. Defnyddio edau dannedd i gael gwared ar fwyd a phlac rhwng eich dannedd. (Use floss to remove food and plaque between your teeth.)

3. Osgoi bwydydd â gormod o siwgr a diodydd byrlymus. (Avoid too many sugary snacks and fizzy drinks.)

4. Mynd at y deintydd yn aml. (Visit the dentist for regular check-ups.)

Deunyddiau Atebion posibl **Material world** Possible answers
Mae **gwlân** yn cael ei ddefnyddio i greu dillad, blancedi (**wool** is used for clothes, blankets)

Mae **dur** yn cael ei ddefnyddio i greu cyllyll a ffyrc, adeiladau (**steel** is used for cutlery, building and construction)

Mae **rwber** yn cael ei ddefnyddio i greu teiars, balŵns, elastig (**rubber** is used for tyres, balloons, elastic)

Mae **gwydr** yn cael ei ddefnyddio i greu ffenestri, addurniadau (**glass** is used for windows, ornaments)

Mae **plastig** yn cael ei ddefnyddio i greu eitemau o gwmpas y tŷ (**plastic** is used for household items)

Mae **papur** yn cael ei ddefnyddio i greu llyfrau, papur newydd, cardiau (**paper** is used for books, newspapers, greetings cards)

Mae **carreg** yn cael ei ddefnyddio i greu palmentydd, adeiladau, cerfluniau (**stone** is used for paving, buildings, statues)

Pa ddeunydd? Atebion posibl **What's it made of?** Possible answers:
Crochenwaith – dal dŵr, ysgafn, gallu cael ei fowldio (**pottery** – waterproof, lightweight, can be moulded). **Defnydd** – meddal, cynnes, hyblyg (**fabric** – soft, warm, flexible). **Lledr** – dal dŵr yn weddol, meddal, cynnes, hyblyg (**leather** – fairly waterproof, soft, warm, flexible). **Gwydr** – tryloyw, llyfn, gallu cael ei fowldio (**glass** – transparent, smooth, can be moulded). **Pren** – cryf, ysgafn (**wood** – strong, lightweight). **Alwminiwm** – ysgafn, ddim yn rhydu (**aluminium** – lightweight, does not rust). **Rwber** – elastig, gallu cael ei fowldio, gallu para'n hir (**rubber** – elastic, can be moulded, hard-wearing)

Pa ddeunyddiau fydd yn arnofio? Which materials will float?
Dylech weld bod pren a pholystyren yn arnofio yn y dŵr gan eu bod nhw'n ysgafnach na'r dŵr o'u cwmpas. Bydd rwber, clai, dur a chrochenwaith yn suddo gan eu bod nhw'n drymach na dŵr. Ond bydd y clai yn arnofio os yw'n cael ei fodelu i siâp 'cwch'. (Mae llongau haearn trwm yn arnofio oherwydd bod pwysau'r dŵr maen nhw'n symud o'i le yr un fath â'u pwysau nhw.) (You should find that wood and polystyrene will float in water because they are lighter than the surrounding water. Rubber, clay, steel and pottery will sink because they are heavier than water. However, modelling clay will float if shaped into a 'boat'. (Heavy iron ships float because the weight of the water they displace is equal to their weight.))

Pa ddeunyddiau sy'n fagnetig? Which materials are magnetic?
Mae pethau sydd wedi eu gwneud o haearn a dur yn fagnetig. Mae pren, plastig, rwber, papur a metelau fel alwminiwm, arian, aur a chopr yn anfagnetig. Bydd pâr **B** yn atynnu ei gilydd. Bydd pegynau yr un fath yn gwrthyrru. Bydd pegynau gwahanol (croes) yn atynnu. (Objects made of iron and steel are magnetic. Wood, plastic, rubber, paper, and metals such as aluminium, silver, gold and copper are non-magnetic. Magnet pair **B** will attract each other. Like (same) poles repel. Unlike (opposite) poles attract.)

Solid neu hylif? Solid or liquid?
Solid – lolipop iâ, banana, halen, bar o siocled (**Solid** – ice lolly, banana, salt, chocolate bar). **Hylif** – diod oren, dŵr glaw, cymylau (**Liquid** – orange drink, rainwater, clouds). **Nwy** – ocsigen, swigod mewn diod byrlymus (**Gas** – oxygen, bubbles in a fizzy drink)

Y Gylchred ddŵr Water cycle
Mae'r **Haul** yn cynhesu dŵr o'r moroedd, llynnoedd, **afonydd** a nentydd ac mae'n **anweddu**. Wrth iddo anweddu, mae'n codi ac yna'n oeri i ffurfio **cymylau**. Mae'r cymylau'n cael eu chwythu gan y **gwynt** dros dir uchel ac yn cael eu hoeri fwy. Mae'r diferion o **ddŵr** yn y cymylau yn mynd yn fwy ac yn disgyn fel **glaw**. Os yw tymheredd yr aer yn oer iawn, mae'r glaw yn troi'n **eira** ac yn rhew. (The **Sun** heats up the water in the oceans, lakes, **rivers** and streams and it evaporates. As it **evaporates**, it rises and then cools to form **clouds**. The clouds are blown by the **wind** over higher ground and are cooled even more. The droplets of **water** in the clouds get bigger and fall as **rain**. If the air temperature is very cold, rain turns to **snow** and ice.)

Pa solidau fydd yn hydoddi mewn dŵr?
Which solids will dissolve in water?
Bydd siwgr, halen a choffi'n hydoddi mewn dŵr. Bydd blawd yn hydoddi'n rhannol. Mae'r rhan fwyaf o solidau'n hydoddi yn fwy cyflym mewn dŵr cynnes. Dydy hi ddim yn bosibl hydoddi tywod. (Sugar, salt and instant coffee will dissolve in water. Flour will partially dissolve. Most solids dissolve faster in warmer water. Sand is insoluble.)

Goleuni Light
Rydym yn cael golau o'r Haul, canhwyllau, tân, fflachlampau a lampau. (We get light from the Sun, candle, fire, torch and lamp.)
1. Mae'r **Haul** yn rhoi **goleuni** i ni trwy'r dydd. (The **Sun** gives us **light** throughout the day.)
2. Pan mae'r **Ddaear** yn troi i ffwrdd o'r Haul rydym ni'n cael y **nos**. (When the **Earth** turns away from the Sun we get **night-time**.)
3. Rydym yn troi goleuadau **trydan** ymlaen yn ein cartrefi pan fydd yr awyr yn **tywyllu**. (We switch on **electric** lights in our homes when it goes **dark**.)

Gwthio a thynnu Push and pull
1. tynnu (pull), 2. gwthio (push), 3. tynnu (pull), 4. gwthio (push)

Disgyrchiant yn tynnu Gravity pulls
Ar y Lleuad byddai eich pwysau chwe gwaith yn llai na'ch pwysau ar y Ddaear. (On the Moon you would weigh six times less than you would weigh on Earth.)

Ffrithiant Friction
Ffrithiant uchel – traeth tywodlyd, cae mwdlyd (**high friction** – sandy beach, muddy field)
Ffrithiant isel – llethr sgïo, arwyneb sglefrio iâ (**low friction** – ski slope, ice-skating rink)

Allwch chi suddo potel blastig?
Can you sink a plastic bottle?
Mae dŵr yn gwthio i fyny ar y botel. Bydd y botel yn suddo pan mae'n pwyso mwy (neu'n fwy dwys) na phwysau (dwysedd) y dŵr o'i hamgylch. Mae gan longau tanfor danciau sy'n cael eu llenwi â dŵr er mwyn gwneud i'r llongau tanfor suddo ac yna eu gwagio er mwyn gwneud iddyn nhw godi i'r awyneb. (Water pushes up on the bottle. The bottle will sink when it weighs more (or is denser) than the weight (density) of the surrounding water. Submarines have tanks that can be filled with water to make the submarine sink or emptied of water to make the submarine rise.)

Well i chi siapio hi! Ship shape
Dolffin, cath fôr ddu, siarc, llysywen (Dolphin, stingray, shark, eel) Siâp **C** yw'r un gorau. (Shape **C** is the best shape.)

Y Ddaear Earth

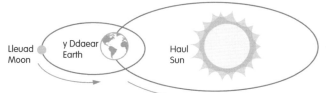

Lleuad / Moon   y Ddaear / Earth   Haul / Sun

Mae'r Ddaear yn **troi** ar ongl ar echelin (axis) anweledig. Mae'n cymryd 24 **awr** i'r Ddaear droi unwaith ar ei hechelin. Mae hyn yn rhoi **dydd** a nos i ni. Mae'r rhan o'r **Ddaear** sy'n troi tuag at yr Haul yn y dydd. Mae'r rhan o'r Ddaear sy'n troi oddi wrth yr Haul yn y **nos**. (The Earth **spins** at an angle on an invisible axis. It takes the Earth 24 **hours** to turn once on its axis. This gives us **day** and night. The part of the **Earth** that turns towards the Sun has daytime. The part of the Earth that turns away from the Sun has **night**-time.)

dydd / day   nos / night